MAE'R LLYFR HWN YN EIDDO I
THIS BOOK BELONGS TO

....

I'r teulu
ac i sipsiwn yr afon

Cyhoeddwyd gyntaf ym Mhrydain yn 2003 gan Bloomsbury Publishing Plc
36 Soho Square, Llundain, W1D 3QY

Cyhoeddwyd gyntaf yng Nghymru yn 2007
gan Wasg Gomer, Llandysul, Ceredigion SA44 4JL

ISBN 1 84323 769 5
ISBN-13 9781843237693

ⓑ y testun a'r lluniau: Joseph Theobald © 2003
ⓑ y testun Cymraeg: Sioned Lleinau © 2007

Argraffwyd yn Singapore gan Tien Wah Press

Mae Mali Eisiau MWY!

Joseph Theobald

Addasiad Sioned Lleinau

Gomer

Roedd y defaid ar y ddôl wrth eu bodd
yn chwarae gyda'i gilydd drwy'r dydd.

The sheep in the meadow loved to play together all day long.

Ond doedd Mali ddim yn hapus o gwbwl.

But Mali was feeling rather gloomy.

'Beth sy'n bod?' holodd Modlen.

'Fedra i ddim rhedeg mor gyflym na neidio mor uchel â'r defaid eraill,' cwynodd Mali. 'Rwy'n rhy fach. Dyw hi ddim yn deg!'

'Ond rwyt ti'n berffaith fel yr wyt ti,' meddai Modlen.

'What's the matter?' asked Modlen.

'I can't run as fast or jump as high as the other sheep,' grumbled Mali. 'I'm too small, it's not fair.'

'But I like you as you are,' said Modlen.

Ond roedd Mali eisiau bod ychydig bach yn fwy.
Felly pan oedd y defaid eraill wedi gorffen bwyta . . .

But Mali wanted to be just a little bigger.
So when the other sheep had finished eating . . .

...dyma Mali'n bwyta mwy.

...Mali ate some more.

Wrth i Mali fwyta mwy,
tyfodd yn fwy
ac yn fwy . . .

As Mali ate more,
she grew bigger
and bigger . . .

a chyn bo hir, gallai redeg yn gynt a neidio'n uwch o lawer na'r defaid eraill.

and soon she could run faster and jump much higher than the other sheep.

Ond wrth iddi dyfu'n fwy ac yn fwy
roedd hi eisiau bwyta mwy a mwy . . .

But as she grew bigger and bigger
she just wanted more and more . . .

. . . nes ei bod hi'n methu stopio!

. . . until she could not stop!

'Paid â bwyta'r goedwig!' brefodd y defaid eraill.
'Rwyt ti'n tyfu'n rhy fawr!' llefodd Modlen.

'Don't eat the forest!' called the other sheep.
'You're getting too big!' cried Modlen.

Ond roedd Mali'n mwynhau bod yn fawr.
'Dim ond **ychydig bach mwy**,' meddai.

But Mali loved being bigger.
'Just a little bit more,' she said.

A dyma hi'n bwyta'i ffordd drwy'r goedwig mewn chwinciad!

'Dyna ddigon!' gwaeddodd Modlen.

Ond roedd Mali'n rhy brysur i wrando.

And she munched up the forest in a matter of minutes!

'That's enough!' shouted Modlen.

But Mali was too busy to listen.

Dyma hi'n bwyta'r mynyddoedd ac . . .

She gobbled up mountains and . . .

yfed y llynnoedd. Ond roedd Mali eisiau mwy . . .

drank whole lakes. But Mali still wanted **more** . . .

Wedyn, dyma hi'n llyncu gwlad gyfan heb ddim trafferth!

Ond roedd Mali'n dal eisiau ychydig bach mwy . . .

Then she swallowed an entire country in one big gulp!
But Mali still wanted just a little bit more . . .

Felly dyma hi'n
neidio i'r lleuad . . .

So she jumped onto the moon . . .

ac yn bwyta'r byd!

and ate the world!

Dyna pryd stopiodd Mali. Roedd hi nawr ar ei phen ei hun.

Roedd hi'n hiraethu am y goedwig a'r ddôl a'r defaid eraill,

ac yn dyheu, yn fwy na dim, am gwmni Modlen.

Dechreuodd deimlo'n sâl iawn, iawn.

But then Mali stopped. She was all alone.

She missed the trees, and the meadow, and the other sheep, but most of all she missed Modlen.

And this made her feel very, very ill.

Yn sydyn . . .

Then all of a sudden . . .

MEEEEEE!

Chwydodd Mali.

Chwydodd y byd a'i bethau i gyd.

Mali was sick.

Out came the world and everything with it.

Er nad oedd popeth yn union fel yr oeddent
o'r blaen . . .

Although things weren't quite the same
as they were before . . .

Teimlai Mali'n well o lawer.

'Rwyt ti'n berffaith fel yr wyt ti,' sibrydodd Modlen.

'Rwy'n ddigon hapus fel yr ydw i hefyd,' meddai Mali.

Mali felt much better.

'I like you just the way you are,' whispered Modlen.

'I like me just the way I am, too,' said Mali.